ZHONGGUOHUA
MINGJIA ZUOPINJI
WANG JINGYU
CAIMO RENWU

第  辑

中国画名家作品集

王敬宇彩墨人物

主编／贾德江

● 北京工艺美术出版社

寻找自己的土地

——王敬宇彩墨人物十年小结

□ 贾德江

因为是南海岩的学生，我见到王敬宇其人其画，就有一种亲近感。南海岩是一位令人敬佩的画家，他所创造的彩墨写实人物画，以罕见的浓墨重彩和精微写实相结合的语言，如泣如诉地实录着藏族同胞灵魂深处的质朴无华之美，创造性地借用西方写实之法为中国画注入了新的发展动因，提升了中国人物画的表现力度和深度，弥补了崇尚水墨的写意人物画对写实造型和色彩的诉求，强有力地推动了当代中国写意人物画的发展。十多年来，我断断续续地为南海岩编辑出版过好几种画集，令我印象最深的是近年编辑出版的《艺术本源——南海岩彩墨人物画技法解析》一书，全面地梳理了这位在当代画坛享有盛誉的著名人物画家的艺术思想、艺术技巧和艺术特色，我们从中可以窥见南海岩艺术发展的脉络以及诸多带有启示性的经验。无形之中，我与南海岩也建立起相识相知相互关怀的友谊。

在北京画院王明明导师工作室

毕业于河南大学美术系的王敬宇是南海岩的崇拜者，自2005年始就师从南海岩先生求艺问道，至今已整整十个年头。在此之前，他曾就读于北京画院王明明工作室，所接受的美术教育使他懵懂初开，走出了学院教育的浮浅，而直抵传统笔墨的堂奥。特别是王明明的影响不仅仅在于逐步为他打下传统功底，而且引导他"笔墨当随时代"，坚持"一手伸向传统，一手伸向生活"，努力寻找自己的艺术土地。这对于刚出校门的王敬宇来说，无疑是一次认识上的飞跃，也为他的艺术发展道路指明了方向。

王敬宇好学多思、真诚务实、胸怀理想，这大概是南海岩先生偏爱他的原因。从学于南海岩之后，他心无旁骛，不仅努力领会南师的艺术思想和彩墨技巧，逐步掌握和丰富自己艺术语言的表现力，而且多次跟随老师深入藏区采风写生，去寻觅和捕捉那些令他身心触动的生活情态。每次归来之后，他都按捺不住创作的激情和欲望，都会相继创作出一批以藏民为主体的作品，尤其是藏女是他表现最多的题材。他和他的老师一样，深爱那些"不知道自己多么苦，也不知道自己多么美"的藏女形象，通过雪域高原那方没有被文明沾染的雪山、荒原和白云所表达的原始、淳朴的人性精神，一直成为他此后艺术创作凸现的主题。

以西藏藏民为题材的作品，王敬宇前前后后画了10年，但他的兴致未衰，总感觉到自己塑造的形象还不尽人意，彩墨技巧还不够到位，个性化的语言还有待进一步形成。他求助于老师，得到的结论就是"实践再实践"，"生活再生活"。"实践再实践"就是多画、多体悟，在实践中解决笔墨与造型的兼容，掌握笔墨与色彩的融合；"生活再生活"就是激励他下定深入藏区的决心，多观察体验，唤醒自己的艺术直觉和灵感，以创作带动笔墨的更新。

方向明确，道路必广。王敬宇遵循师训，不间断地走进西藏，深入藏区，不停歇地跋涉在青藏高原与喜马拉雅山之间。高原神圣、雄

在北京画院南海岩导师工作室

在西藏写生

接受电视台专访

阔、苍凉的自然环境，藏民坚韧、顽强、旷达的个性，纯朴善良、背负着生活重荷的美丽藏女，以及他们虔诚、热烈、单纯的宗教信仰，都强烈地感染着他，令他着迷和感动。10年的漫漫长路，他上下求索，养成了勤奋耕耘、实践中思考的习惯，他耐得住寂寞、清贫自守，数年如一日地面壁思索艺术的真谛，在笔墨中挥洒激情，品尝甘苦，常常沉浸在他老师情感深处那种一以贯之的仁厚与缠绵之中，使他只能选择具象写实、彩墨辉映的手法，来表达自己的情感，并不在意旁人的诟病。他认为，即便画得和南师一样，也并没有什么不好，到是他作为学生求之不得的事情。

在他近几年一系列反映藏区生活的作品中，关怀生命，咀嚼人生，挖掘质朴中的大美，赞颂没有污染的灵魂，是他作品的精神追求。他很少在形式上做文章，而是任其情感的驱使，表现他的所知所见所思所想。读他的作品，至少在以下几个方面显示出特殊的魅力。

其一是在近乎原生态的高原生活的选材中，表现有动于衷乃至发人深思的立意。这里没有强烈的社会性主题，没有对庄严崇高的关注，却有着真切的感动和对平朴清隽的倾心。有《诵经》老妇人对美好生活的祈福，有《情窦初开》的少女对人间真情的渴望，有伫立在《高原春雪》中的藏女在等待亲人的归来，有劳作在《黄金季节》的藏女不知疲倦的倩影，也有《其乐融融》的家人聚会。王敬宇没有描写画中人的亢奋和激动、歌舞与狂欢，而是在最习见的生活常态中，表现那朴素、自然、真诚的无言之美。不能说所有的作品都做到了真善美的统一，但画中所积淀着对默默忍受命运、甘于人生艰辛的藏族女性同胞的一种深隐的关切和恋念，应该是他作品最引人注目的色泽。

其二是王敬宇所画的各类藏女，多孤独一人，或在寒风里，或在雪霁中，或在荒原上，总是身处空阔的原野，云天低垂，雪山作景，牦牛为伴，尘路漫漫。画家一方面着意于情景交融的创造，清远的回忆多于实近的描绘；一方面集中于形象的细致刻画，实的描绘多于虚的想象。这些表现藏女的一系列作品几乎都远离熙攘的人群，都把主人公置于流动而辽远的自然怀抱里，没有罪恶与虚伪，只有劳作与自足，多以写意的背景衬托写实的人物。画中人物类似于肖像画，偏重于形象的深度描绘，减少和弱化了动态，尤其是颈项、腰肢、手指等表情性动态，强调的是写实水墨对形和结构准确描绘的要求，使人物朴实、自然，没有丝毫的弄姿作态，似乎她们都生活在无欲无念的境遇之中。形象背后内蕴的是喜是忧、是甜是苦，只有让细心的观者去体味了。

其三是在笔墨与造型之间努力深化造型意识，对源于西方的写实手段进行中国式的改造与升华。他坚持写生，力求在写生中进一步发挥素描关于结构、体积、透视的知识技能，同时他明确地看到了在水墨写实人物画中运用色

和中国美协主席刘大为在一起

在中国画艺术创作院写生展上接受采访

中国画艺术创作院张道兴导师点评作品

中国画艺术创作院任惠中导师授课

和导师程振国夫妇在一起

彩的三个层次。一是色彩与笔墨一样要为造型服务；二是色彩与笔墨一样，要见笔见性；三是需要根据描绘对象的丰富和感悟的新颖，相应地发挥色彩的表现力；显然，他作品中的凝聚力仍建立在厚重的线形变化和丰富的皴擦相间的线面交融的基础上，并把西画造型的素描关系、色彩关系不露痕迹地融入形象塑造的笔情墨趣之中，达到了笔中见墨、墨中见笔、色中亦见笔，乃至彩墨交融、互为灿烂的境地，而以笔含力、墨含韵、色含情的方式表现了西部藏民的灵魂之美。

王敬宇的彩墨写实人物画，已逐步形成了上述的颇有艺术魅力的个人风格，虽与南师相去不远，但他深知风格是艺术家的生命状态，不是某种一成不变的手法。为此，他于今年又研修于中国画艺术创作院张道兴、任惠中为导师的人物画高研班，试图参酌张道兴人物画的夸张变形及任惠中人物画的水墨写意，在不丢弃自家面目的基础上走出师辈的门墙，探索一种新风格，寻找到自己的土地。从他近期创作的《红苹果》《金色年华》等作品来看，已初见端倪，不但神形兼备、内蕴丰富，而且笔墨浑厚中见灵动，彩墨互动中见神采。我以为，王敬宇已经从一个方面超越了自我，也刷新了自我。

我喜爱王敬宇这个既有平常心又富上进心的画家，同样喜爱他着眼于人文关怀不断精进、不断突破、不断完善自己的作风。我也分明看到，王敬宇是一个务实而不虚华的存在，他已为自己和严肃的人物画提出了高远的目标，而且做好了“生命就该拼命”的准备。虽然现在还不能说他的目标完全付诸实现，但我相信，以他对艺术的执著和真情，以他孜孜不倦和坚持不懈的努力，以及他的勤奋和才华，把已闪耀着希望光辉的彩墨人物画推向新的境地，应该是指日可待的现实。

2015 年 12 月 20 日于北京王府花园

（作者系著名出版人、美术评论家、画家）

金色年华

2015 年 / 纸本 / 136cm × 68cm

其乐融融
2014年 / 纸本 / 180cm × 97cm

晒佛节 / 2015 年 / 纸本 / 230cm × 200cm

喜讯
2014年／纸本／136cm × 68cm

暖风
2014年 / 纸本 / 180cm × 97cm

雪霁 / 2014 年 / 纸本 / 97cm × 180cm

满载而归 / 2015 年 / 纸本 / 68cm × 136cm

雪域之春
2014年／纸本／ 136cm × 68cm

紫色的围巾
2015年 / 纸本 / 136cm × 68cm

春天的阳光 / 2014 年 / 纸本 / 97cm × 180cm

王敬宇

冬日阳光 / 2015 年 / 纸本 / 68cm × 136cm

瑞雪 / 2015 年 / 纸本 / 97cm × 180cm

诵经之二
2015 年 / 纸本 / 136cm × 68cm

福音
2015年／纸本／136cm × 68cm

高原晴雪 / 2015 年 / 纸本 / 136cm × 68cm

卓玛 / 2014 年 / 纸本 / 136cm × 68cm

秋韵
2015 年 / 纸本 / 68cm × 68cm

藏族男孩
2014 年 / 纸本 / 68cm × 68cm

金色阳光

2014年／纸本／136cm × 68cm

诵经之三
2014年／纸本／ 136cm × 68cm

情窦初开 / 2015年 / 纸本 / 68cm × 45cm

祥瑞之一 / 2014 年 / 纸本 / 97cm × 180cm

金谷 / 2014 年 / 纸本 / 68cm × 136cm

转经筒

2014年／纸本／ 136cm × 68cm

早春二月
2014年／纸本／ 136cm × 68cm

拉卜楞寺之冬
2014年／纸本／136cm × 68cm

雪原之冬 / 2015年 / 纸本 / 68cm × 68cm

三羊开泰
2015 年 / 纸本 / 68cm × 68cm

祈盼
2015 年 / 纸本 / 68cm × 68cm

黄金季节 / 2015 年 / 纸本 / 68cm × 136cm

高原牧歌 / 2015 年 / 纸本 / 68cm × 136cm

母爱
2015年／纸本／136cm × 68cm

聚祥 / 2015 年 / 纸本 / 136cm × 68cm

藏族老人 / 2015 年 / 纸本 / 180cm × 97cm

红苹果
2015年／纸本／136cm × 68cm

晨曲
2014年／纸本／ 136cm × 68cm

雪原牧歌 / 2015 年 / 纸本 / 68cm × 136cm

高原雪韵 / 2015 年 / 纸本 / 68cm × 136cm

收获
2015年 / 纸本 / 68cm × 68cm

晴雪
2015年 / 纸本 / 68cm × 68cm

祥瑞之二
2015 年 / 纸本 / 68cm × 68cm

希望
2015 年 / 纸本 / 68cm × 68cm

早春 / 2015 年 / 纸本 / 136cm × 68cm

虔诚 / 2014 年 / 纸本 / 136cm × 68cm